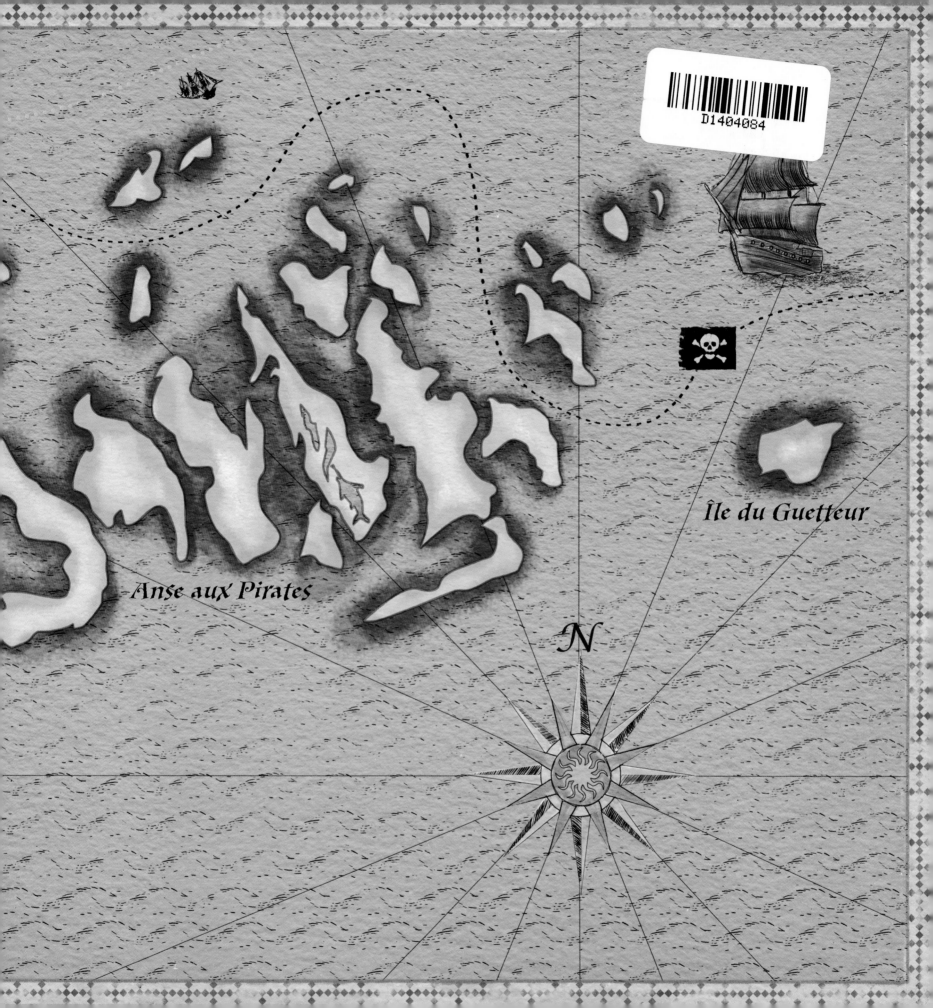

Île du Guetteur

Anse aux Pirates

N

Trésors oubliés

Vois-tu ce que je vois?

Trésors oubliés

CHERCHE ET TU TROUVERAS!

Walter Wick

Texte français d'Hélène Pilotto

Éditions SCHOLASTIC

Conception graphique :

Walter Wick et David Saylor

Édition publiée par les Éditions Scholastic,

604, rue King Ouest, Toronto (Ontario) M5V 1E1

5 4 3 2 1   Imprimé à Singapour 46   10 11 12 13 14

Catalogage avant publication de Bibliothèque
et Archives Canada

Wick, Walter

Trésors oubliés / Walter Wick ; texte français d'Hélène Pilotto.

(Vois-tu ce que je vois? Cherche et tu trouveras!)

Traduction de: Treasure ship.

ISBN 978-1-4431-0175-2

1. Casse-tête--Ouvrages pour la jeunesse. 2. Livres-jeux.
I. Pilotto, Hélène II. Titre. III. Collection: Wick, Walter.

Vois-tu ce que je vois? Cherche et tu trouveras!

GV1507.P47W513814 2010   j793.73   C2009-906333-6

POUR GRACE MACCARONE

TABLE DES MATIÈRES

Vois-tu ce que je vois?

La queue d'une baleine,

trois oiseaux dans les airs,

un cœur brisé,

une ancre, un éclair,

un soleil, une lune,

un coquillage de la mer,

des cheveux longs

et ondoyants,

une longue-vue

et un serpent,

trois clés, sept palmiers

et une jolie coupe dorée!

Vois-tu ce que je vois?

Une créature marine

aux huit bras très longs,

une licorne, une plume,

une grenouille,

un dragon,

un crâne effrayant,

une porte dorée,

un sabre en diamants,

un félin tacheté,

un chien,

cinq breloques en or

garnissant un bracelet,

et bien d'autres objets

si tu t'approches encore!

Vois-tu ce que je vois?

Un lézard, trois papillons,

quatre tortues, un cochon,

deux cœurs bleus,

cinq poissons,

un vieux boulet de canon,

une cuillère brillant

de mille feux

et un paon rose et blond.

Cherche aussi une abeille,

un carrosse, un soleil,

et tout près une lune,

une belle libellule,

de jolis ciseaux,

deux hippocampes dorés

et un morceau

d'assiette brisée!

Vois-tu ce que je vois?

Un cheval, un lion,

un hibou, un canon,

une araignée de mer,

une clé en laiton,

une montre de poche

et un bélier,

un coq, un sablier,

une anguille, un serpent,

un cygne en argent,

un requin, un agneau,

sans oublier

trois chameaux,

et pour finir

la roue d'un navire!

Vois-tu ce que je vois?

Une pieuvre, un cœur doré,

une épée de chevalier,

une bague à diamant,

une théière

en forme d'éléphant,

une petite cloche,

la couronne d'un roi

et une pince à linge

en bois,

mais aussi une perle

dans un coquillage,

un requin-marteau

qui nage,

quatre tortues

parmi les flots,

et les voiles en lambeaux

d'un très vieux bateau!

The Wreck of the *Bountiful*

Vois-tu ce que je vois?

Les bois d'un cerf,

un petit crapaud vert,

cinq poissons, une fourmi,

un chat, deux souris,

un soda à la crème glacée,

un bouclier, trois épées,

trois dés, un stylo,

un soulier à talon haut,

une assiette ornée

d'un homard écarlate,

une dent de requin acérée

et un pélican rouge

tomate.

À présent, recule

de deux pas

et une autre vue

s'offrira à toi!

21

Vois-tu ce que je vois?

Un pingouin, un seau,

un homme qui

grimpe haut,

trois baleines, un arrosoir,

un œil bleu qui veut

tout voir,

un morse transparent,

deux singes différents,

une tasse, un alligator,

une cloche, un ressort,

et pour finir un clairon

caché parmi les flacons.

Si tu penses que c'est fini,

viens un peu par ici!

Vois-tu ce que je vois?

Une canne à pêche,

une oie toute verte,

un crabe qui sourit

sur une assiette,

trois roues de navire,

un sous-marin,

un coffre au trésor

sur du sable fin,

un élastique qui serre

et une planche pour surfer

sur les vagues de la mer.

Quel temps merveilleux!

Allons dehors :

le ciel est bleu!

Vois-tu ce que je vois?

Une hélice de bateau,

deux scies, un marteau,

une flèche, trois clés,

cinq ancres, une épée,

un hameçon

vraiment pointu,

une mouche,

une longue-vue,

une horloge

d'un autre temps,

la trompe d'un éléphant,

quatre pinces de homards,

un parasol bleu

dans un présentoir,

un cadenas, un goéland

et un crâne très menaçant!

Vois-tu ce que je vois?

Deux bateaux sur l'eau,

dix oiseaux en vol,

trois cornets

de crème glacée,

une sandale rouge

sur le sol,

un dragon dessiné

sur un cerf-volant,

un ballon de soccer

rouge et blanc,

trois capsules de bouteilles,

un crabe en plein soleil,

une carte géographique,

un flamant rose exotique,

une punaise bleu royal

et un joli perroquet

sur un tourniquet

de cartes postales.

Vois-tu ce que je vois?

La queue

d'une baleine franche,

une dent de requin blanche,

une longue traînée

dans un ciel radieux,

un avion tout bleu,

deux boutons différents,

un bec rouge de pélican,

trois coquillages empilés,

une libellule argentée,

et une girouette…

Oh, vite! Rangeons

la serviette!

Vois-tu ce que je vois?

Un drapeau de pirates,

une plume d'oiseau délicate,

une paille pliable,

une pince de crabe,

un stylo, une fourchette,

la tour d'un château

emportée par l'eau,

une grenouille verte,

un gobelet en carton,

une porte ouverte,

un beau camion

et cinq étoiles de mer,

quatre à l'avant,

une à l'arrière.

Vois-tu aussi

cette pièce dorée

que les vagues ont rejetée?

Sur la pièce de monnaie du BOUNTIFUL, le premier objet que l'on rencontre dans *Vois-tu ce que je vois? – Trésors oubliés*, est inscrite la devise *I Shall Rise Again* qui signifie « Je me relèverai. » Cela laisse supposer que le propriétaire du *BOUNTIFUL* a déjà connu des temps difficiles et a fait frapper cette pièce de monnaie pour célébrer un nouveau bateau et un nouveau départ.

Comme une multitude de légendes de bateaux naufragés et de trésors perdus, ce récit fictif en images offre les indices excitants d'une histoire parallèle. La particularité de ces indices est qu'ils ouvrent la porte à diverses interprétations. Par exemple, le *BOUNTIFUL* prend plusieurs apparences tout au long du livre : téméraire sur la couverture, fier et scintillant sur la pièce de monnaie, échoué au fond de la mer et dans une bouteille. Ces indices laissent deviner le sort qu'a connu le bateau.

La boutique Jolly Roger semble elle aussi être ce même bateau, mais sous une forme différente. Cette boutique a-t-elle été bâtie à partir des morceaux d'un navire rejetés sur le rivage? Ou alors le concept de la « boutique-bateau » a-t-il été inspiré par une légende ancienne? Il n'y a ni bonnes ni mauvaises réponses à ces questions. J'espère seulement que les lecteurs, à la recherche des quelque 200 objets cachés, découvriront plusieurs de ces indices concernant la petite histoire du bateau et laisseront leur imagination faire le reste. À vrai dire, ces délices pour l'œil et l'esprit sont les véritables trésors à célébrer dans *Vois-tu ce que je vois? – Trésors oubliés*.

Remerciements

Les concepts de « zoom », comme ceux de ce livre, ont longtemps fait l'objet d'une fascination particulière chez les artistes, les réalisateurs de films et les photographes... spécialement chez ceux qui, comme moi, rêvent depuis toujours de posséder un appareil photo à résolution infinie! Pour rendre l'effet de zoom en photo, je me sers de scènes miniatures et de scènes grandeur nature que je photographie avec des appareils numériques. Puis, à l'aide de logiciels de montage, j'incorpore à l'image finale un certain nombre d'éléments.

Plus important encore, je tiens à souligner l'aide que j'ai reçue de plusieurs personnes aussi dévouées que talentueuses, et sans qui le livre n'aurait jamais vu le jour. J'adresse mes remerciements les plus sincères à l'artiste Randy Gilman qui a créé plusieurs des accessoires présentés, dont les bâtiments miniatures vieillis de façon très réaliste (agrémentés de palmiers très bien représentés) ainsi qu'un « bac à sable » berçant particulièrement ingénieux qui m'a permis de photographier en studio une scène de plage convaincante (« La marée monte » - pages 32-33) avec sable et eau véritables (la grosse vague est une photo prise à part et ajoutée par procédé numérique); à l'artiste Mike Galvin qui a construit plusieurs maquettes, a inventé une formule pour faire du plastique ayant l'aspect de l'or véritable et a coulé des centaines de pièces de monnaie, de lingots et d'accessoires « en or »; à l'artiste Michael Lokenskaard qui a si artistiquement « abîmé » le bateau que Randy Gilman avait confectionné avec grand soin; au directeur de studio, Dan Helt, qui a fait en sorte que chacun respecte son horaire et qui a fourni un soutien technique professionnel à la fois dans l'atelier, le studio et aux postes de travail informatiques; à l'assistante, Emily Cappa, pour l'aide qu'elle a fournie à toute l'équipe dans tous les domaines, et cela sans jamais perdre la trace des milliers d'accessoires; enfin, à mon épouse, Linda Cheverton Wick, pour son soutien constant en coulisses, son infinie sagesse artistique et sa patience lors des trop nombreuses fins de semaines qu'elle a passées seule.

Chez Scholastic, je voudrais remercier mon éditrice de longue date, Grace Maccarone, pour m'avoir guidé avec une grande gentillesse et une patience à toute épreuve; également David Saylor pour les nombreux conseils dont j'avais grand besoin, notamment en ce qui concerne la couverture du livre; Ken Geist, qui a été tout aussi perspicace; Ellie Berger pour avoir cru en ce projet; et enfin, je remercie les employés de Scholastic, trop nombreux pour que je les nomme ici, mais dont l'aide a été grandement appréciée.

Merci à tous! – Walter Wick

L'auteur a conçu, photographié et retouché par procédé numérique toutes les scènes. Les illustrations publicitaires ont été agencées par Randy Gilman et photographiées par l'auteur.

Walter Wick est le photographe de la collection *C'est moi l'espion* qui s'est vendue à plus de 29 millions d'exemplaires. Il est l'auteur et le photographe de plusieurs ouvrages pour lesquels il a remporté de nombreux prix prestigieux. C'est lui qui a inventé les photos-mystères pour le magazine *Games*. Dans la collection *Vois-tu ce que je vois?*, on peut citer *Le château hanté*, *Il était une fois...* et *La nuit de Noël* parmi ses ouvrages les plus récents et, dans un style beaucoup plus simple, les livres intitulés *un mot – une photo* pour les apprentis lecteurs. Il a aussi réalisé des photos pour des couvertures de livres et de magazines. Walter Wick est diplômé du Paier College of Art; il habite au Connecticut avec son épouse, Linda.